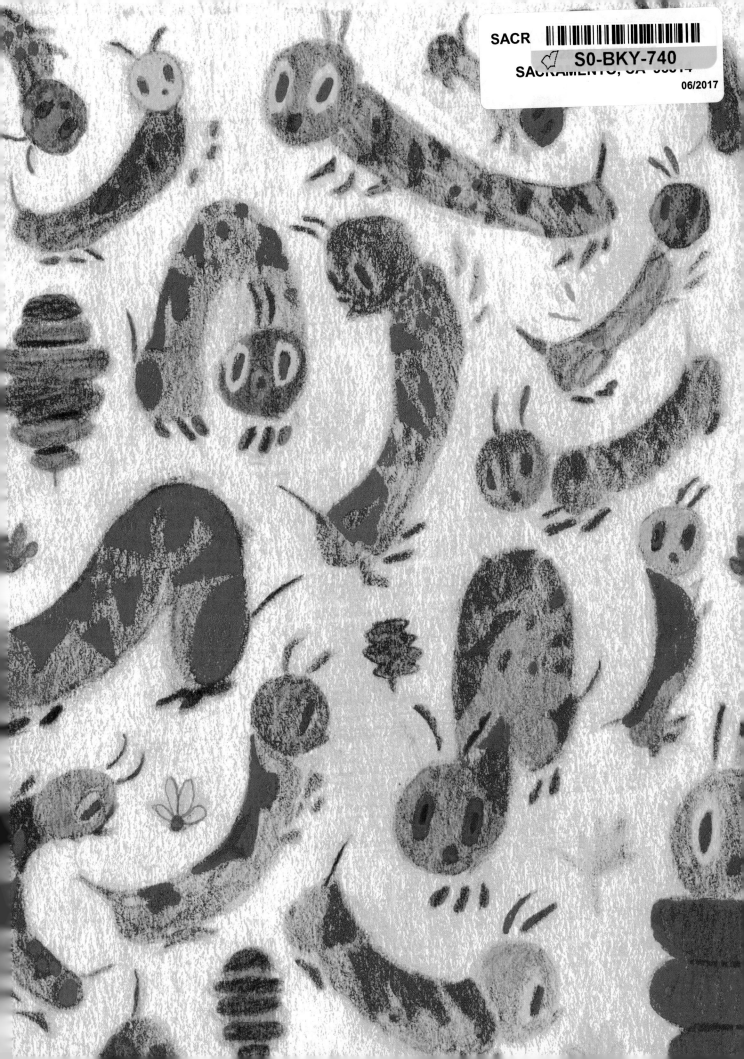

Валентин Берестов

Честное гусеничное

СКАЗКИ

рисунки
Кати Шумковой

Валентин Берестов

Честное гусеничное

СКАЗКИ

«МАЛЫШ»

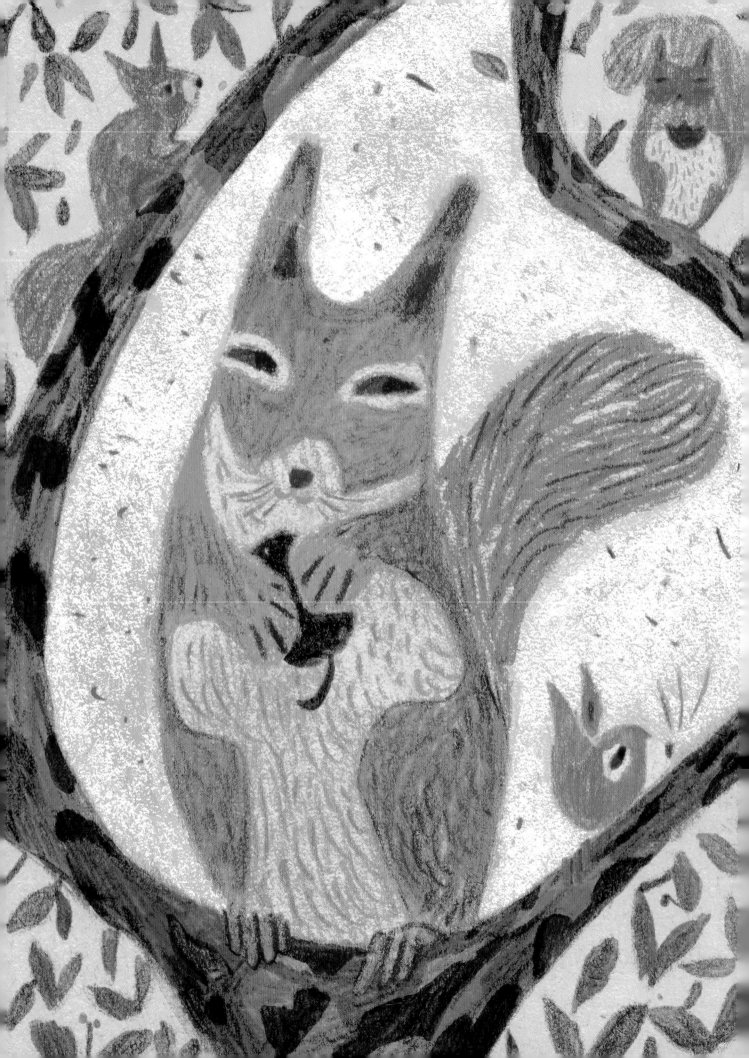

КАК НАЙТИ дорожку

Ребята пошли в гости к деду-леснику. Пошли и заблудились. Смотрят — над ними Белка прыгает. С дерева на дерево. С дерева на дерево. Ребята — к ней:

Белка, Белка, расскажи,
Белка, Белка, покажи,
Как найти дорожку
К дедушке в сторожку?

— Очень просто, — отвечает Белка. — Прыгайте с этой ёлки вон на ту, с той — на кривую берёзку. С кривой берёзки виден большой-большой дуб. С верхушки дуба видна крыша. Это и есть сторожка. Ну что же? Прыгайте!

— Спасибо, Белка! — говорят ребята. —
Только мы не умеем по деревьям прыгать.
Лучше мы ещё кого-нибудь спросим.

Скачет Заяц. Ребята и ему спели свою песенку:

Зайка, Зайка, расскажи,
Зайка, Зайка, покажи,
Как найти дорожку
К дедушке в сторожку?

— В сторожку? — переспросил Заяц. — Нет ничего проще. Сначала будет пахнуть грибами. Так? Потом — заячьей капустой. Так? Потом запахнет лисьей норой. Так? Обскачите этот запах справа или слева. Так? Когда он останется позади, понюхайте вот так и услышите запах дыма. Скачите прямо на него, никуда не сворачивая. Это дедушка-лесник самовар ставит.

— Спасибо, Зайка, — говорят ребята. — Жалко, носы у нас не такие чуткие, как у тебя. Придётся ещё кого-нибудь спросить.

Видят, ползёт Улитка.

Эй, Улитка, расскажи,
Эй, Улитка, покажи,
Как найти дорожку
К дедушке в сторожку?

— Рассказывать до-о-олго, — вздохнула Улитка. — Лу-у-уч-ше я вас туда провожу-у-у. Ползите за мной.

— Спасибо, Улитка! — говорят ребята. — Нам некогда ползать. Лучше мы ещё кого-нибудь спросим.

На цветке сидит Пчела. Ребята к ней:

Пчёлка, Пчёлка, расскажи,
Пчёлка, Пчёлка, покажи,
Как найти дорожку
К дедушке в сторожку?

— Ж-ж-ж, — говорит Пчела. — Покажж-
жу — смотрите, куда лечу. Идите следом.
Увидите моих сестёр. Куда они, туда и вы.
Мы дедушке на пасеку мёд носим. Ну, до
свидания! Я уж-ж-жасно тороплюсь. Ж-ж-ж!

И улетела. Ребята не успели ей даже спасибо сказать.

Они пошли туда, куда летели пчёлы, и быстро нашли сторожку. Вот была радость!
А потом их дедушка чаем с мёдом угостил.

Честное гусеничное

Гусеница считала себя очень красивой и не пропускала ни одной капли росы, чтобы в неё не посмотреться.

— До чего ж я хороша! — радовалась Гусеница, с удовольствием разглядывая свою плоскую рожицу и выгибая мохнатую спинку, чтобы увидеть на ней две золотые полоски. — Жаль, никто-никто этого не замечает.

Но однажды ей повезло. По лугу ходила девочка и собирала цветы. Гусеница взобралась на самый красивый цветок и стала ждать. А девочка увидела её и сказала:

— Какая гадость! Даже смотреть на тебя противно!

— Ах так! — рассердилась Гусеница. — Тогда я даю честное гусеничное слово, что никто, никогда, нигде, ни за что и нипочём, ни в коем случае, ни при каких обстоятельствах больше меня не увидит.

Дал слово — нужно его держать, даже если ты Гусеница. И Гусеница поползла на дерево. Со ствола на сук, с сука на ветку, с ветки на веточку, с веточки на сучок, с сучка на листок. Вынула из брюшка шёлковую ниточку и стала ею обматываться.

Трудилась она долго и наконец сделала кокон.

— Уф, как я устала! — вздохнула Гусеница. — Совершенно замоталась.

В коконе было тепло и темно, делать больше было нечего, и Гусеница уснула.

Проснулась она от того, что у неё ужасно чесалась спина. Тогда Гусеница стала тереться о стенки кокона. Тёрлась, тёрлась, протёрла их насквозь и вывалилась. Но падала она как-то странно — не вниз, а вверх. И тут Гусеница на том же самом лугу увидела ту же самую девочку.

«Какой ужас! — подумала Гусеница. — Пусть я некрасива, это не моя вина, но теперь все узнают, что я ещё и обманщица. Дала честное гусеничное, что никто меня не увидит, и не сдержала его. Позор!»

И Гусеница упала в траву. А девочка увидела её и сказала:

— Какая красивая!

— Вот и верь людям, — ворчала Гусеница. — Сегодня они говорят одно, а завтра — совсем другое.

На всякий случай она погляделась в каплю росы. Что такое? Перед ней — незнакомое лицо с длинными-предлинными усами. Гусеница попробовала выгнуть спинку и увидела, что на спинке у неё колышутся большие разноцветные крылья.

«Ах вот что! — догадалась она. — Со мной произошло чудо. Самое обыкновенное чудо! Я стала Бабочкой! Это бывает».

И она весело закружилась над лугом, потому что честного бабочкиного слова, что её никто не увидит, она не давала.

ЗМЕЙ-ХВАСТУНИШКА

Однажды Витя сделал Змея. День был пасмурный, и мальчик нарисовал на Змее солнце.

Витя отпустил нитку. Змей поднимался всё выше, мотая длинным хвостом и напевая песенку:

> Я лечу
> И рею.
> Я свечу
> И грею!

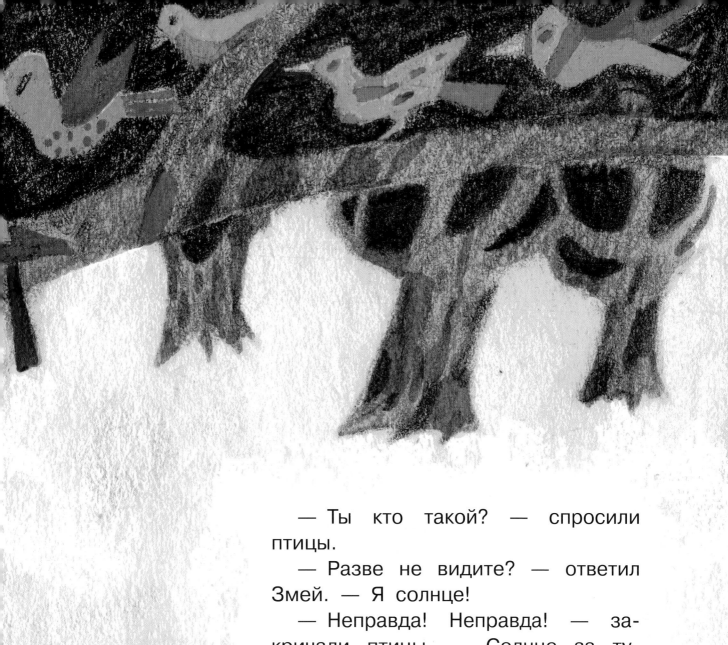

— Ты кто такой? — спросили птицы.

— Разве не видите? — ответил Змей. — Я солнце!

— Неправда! Неправда! — закричали птицы. — Солнце за тучами.

— За какими такими тучами? — разозлился Змей. — Солнце — это я! Никакого другого солнца не было, нет, не будет и не надо! Ясно?

— Неправда! Неправда! — испугались птицы.

— Что-о-о? Цыц, короткохвостые! — крикнул Змей, сердито мотая своим длинным хвостом.

Птицы разлетелись. Но тут выглянуло солнце.

— Заклевать хвастунишку! Выщипать хвост обманщику! — закричали птицы и набросились на Змея.

Витя начал быстро сматывать нитку, и Змей упал на траву.

— Что ты там натворил? — спросил мальчик.

— А что? — обиделся Змей. — И пошутить нельзя?

— Шутить шути, — сказал Витя. — Но зачем же врать и хвастаться? Ты должен исправиться.

— Вот ещё новое дело! — проворчал Змей. — И не подумаю. Пускай птицы сами исправляются!

— Ах так! — возмутился Витя. — Ну хорошо! Тогда я тебя исправлю. Теперь уж ты никого не обманешь и не напугаешь, хоть лопни от злости!

Мальчик взял кисть и краски и превратил нарисованное солнце в смешную рожицу. Змей опять полетел в небо, распевая песенку:

Я лечу,
Я парю,
Что хочу,
То творю!

Он и дразнился, и врал, и хвастался. Но теперь все видели его смешную рожицу и думали, что он шутит, а он совсем не шутил.

— Я — солнце! Слышите? Я — солнце! — кричал Змей.

— Ха-ха-ха! — смеялись птицы. — Ох и насмешил! Ох, уморил! С тобой, брат, не соскучишься!

— Цыц, короткохвостые! — ворчал Змей, сердито мотая своим длинным хвостом.

Но птицы смеялись ещё громче, кружились рядом со Змеем и дёргали его за хвост.

ВИТЯ,
Фитюлька
и
ЛАСТИК

Однажды Витя взял бумагу и карандаш и нарисовал человечка: голова кружком, глаза точками, нос запятой, рот закорючкой, живот огурцом, руки и ноги как спички. И вдруг:

— Здравствуйте! — пискнул человечек. — Меня зовут Фитюлька. А вас как?

— А меня Витя, — ответил удивлённый мальчик.

— Простите, я не расслышал, — сказал человечек. — Если это вас не затруднит, нарисуйте мне, пожалуйста, уши.

— Конечно, не затруднит! — закричал Витя и быстро нарисовал человечку уши.

— Чрезвычайно вам признателен! — обрадовался Фитюлька. — Слышимость отличная. Только одно ухо вы мне поместили как раз посередине щеки. Впрочем, если так надо, я не возражаю.

— Нет, не надо, — сказал Витя. — Ну-ка, Ластик, помогай!

Ластик потёр Фитюльке ухо, и оно пропало. А Витя нарисовал новое. Там, где надо.

— Хочешь, я тебе нос сотру? — предложил Ластик.

— Благодарю за внимание, — ответил вежливый Фитюлька. — Но лучше потрите мне другую щёку. Бумага, понимаете ли, бела, как снег, и я, с вашего позволения, мёрзну.

— Как это — с нашего позволения? — удивился Витя и нарисовал Фитюльке тёплую шапку-ушанку, шубу, валенки, бороду, чтобы не мёрзли щёки.

— Ну как? — спросил мальчик. — Согрелся?

— Спасибо, внучек! — сказал Фитюлька басом. — Уважил старика. Уж теперь-то я зимушку перезимую.

— Минуточку! — сказал Витя. — Сейчас наступит лето.

Синим карандашом он нарисовал небо, зелёным — траву и деревья, а жёлтым — яркое-яркое солнце.

— Ну как? Хорошо? — спросил он Фитюльку.

— Оно бы и хорошо, — вздохнул бородатый Фитюлька. — Однако упарился я, как в бане, хоть бы шубейку скинуть.

— Простите, дедушка! — прошептал Витя. — Ну-ка, Ластик, помогай!

Ластик потёр шапку — не стало шапки, потёр шубу и валенки — не стало ни шубы, ни валенок.

Витя поправил рисунок, нарисовал Фитюльке трусики и глазам своим не поверил.

— В трусах, а с такой длиннющей бородой! Так не бывает. Ну-ка, Ластик, помогай!

Ластик мигом сбрил Фитюльке бороду, и человечек помолодел.

— Эй, Витька, давай играть в футбол! — закричал Фитюлька. — Нарисуй мне мяч!

Витя нарисовал Фитюльке замечательный футбольный мяч.

— А теперь давай играть! — предложил Фитюлька.

— Как же я буду с тобой играть? — задумался Витя. — Ты нарисованный, мяч тоже нарисованный. Знаешь что? Ты пока один потренируйся. А я пойду во двор, с ребятами поиграю. Не скучай!

И ушёл... Фитюльке стало так невыносимо скучно, что даже Ластик его пожалел:

— Ладно уж, давай я с тобой поиграю.

— Давай! — обрадовался Фитюлька. — Держи мяч! Пасуй!

Ластик ударил по мячу. Раз! Половинки мяча как не было — стёрлась! Ещё раз! Совсем ничего не осталось.

— Отдай мяч! — захныкал Фитюлька. — Отда-а-ай!

— Как же я его отдам? — удивился Ластик. — Его же больше нет. Нельзя отдать то, чего нет.

— Ладно, ладно, — ворчал Фитюлька. — Я всё Вите скажу.

— А вот и не скажешь, — разозлился Ластик. — Потому что я тебе рот сотру. Терпеть не могу, когда хнычут и ябедничают!

— Не на-а-а...

Вот и всё, что успел крикнуть Фитюлька. Был у него рот — стало пустое место. Теперь он мог только шмыгать носом и всхлипывать. Из глаз у него выкатились две огромные слезы.

— Ах ты плакса! Ах ты ябеда! — сердился Ластик. — Захочу и всего тебя сотру в порошок. Только бумаги жалко.

Вернулся Витя.

— Что тут произошло? Где мяч? Эй, Фитюлька, куда ты дел мяч? Чего ж ты молчишь? У тебя рта нет, что ли?

Мальчик посмотрел на Фитюльку и увидел, что у того и вправду вместо рта пустое место.

— Эй, Ластик, что тут без меня произошло? Я тебя русским языком спрашиваю, отвечай!

«В самом деле русским языком, — подумал Ластик. — Если бы он спрашивал меня по-немецки, я бы его, пожалуй, не понял».

— Это всё твои штучки, Ластик, — догадался Витя. — Сколько раз я просил тебя не трогать рисунок! Полезай в пенал!

Ластик послушно лёг в пенал: принялся считать, сколько раз его просили не трогать рисунок, сбился и начал считать сначала. И вдруг он услышал знакомый голос:

— Ну-ка, Ластик, помогай! Нужно Фитюльке слёзы утереть!

Ластик выскочил из пенала и ахнул: рядом с Фитюлькой была целая футбольная команда. А чуть пониже солнца летал новенький мяч.

— Замечательный рисунок! — восхитился Ластик и весело взялся за дело.

злое утро

Лес просыпается, шелестит, журчит, шумит:

— Доброе утро! Доброе утро! Доброе утро!

Просыпаются и волчата у себя в норе:

— Доброе утро, мамочка! Доброе утро, папочка!

Родители хмурятся. Они всю ночь рыскали по лесу, никого не загрызли и очень сердиты.

— Утро не всегда бывает добрым, — ворчит мама-волчица, — потому-то порядочные волки по утрам спать ложатся.

— Щенки! — злится папа-волк. — Лучше бы вы меня укусили, чем говорить такие слова. «Добрррое утрррро!» Разве так должны встречать друг друга порядочные волки?

— А как, папочка? Мы не знаем, — скулят волчата.

Папа-волк подумал, подумал и рявкнул:
— А вот как! Злое утро, дети!
— Злое утро, папочка! Злое утро, мамоч-ка! — радостно подхватывают волчата.

И так они весело визжат, крича эти страшные слова, что родители не выдерживают:

— Доброе утро, малыши! Доброе утро!

Хворостина

Все ветки на дереве давно уже зазеленели. Только одна оставалась чёрной и голой, будто никакой весны не было.

Сел на неё дятел, постучал клювом и сказал:

— Так-так! Абсолютно сухая ветка.

Проснулась ветка от его стука и ахнула:

— Батюшки! Никак уже лето? Неужто я весну проспала?

— Засохла ты, — прошелестели ветки-соседки. — Хоть бы ветер тебя поскорее сломал или человек срубил, а то ты всё дерево портишь.

— Ничего, — ответила ветка. — Скоро и я зазеленею.

— Слыханное ли дело, чтобы среди лета почки раскрылись? — заворчали ветки-соседки. — Весной надо было зеленеть, весной!

— Если я собираюсь зеленеть, значит, я не совсем сухая, — ответила ветка.

— Хворостина ты! — рассердились соседки. — Палка, дубина, чурка, полено, коряга!

— Говорите что хотите, — сказала ветка. — А я всё равно оживу.

Но её твёрдые почки так и не раскрылись. Никого она не накормила, не спрятала в тени, не приютила в листве. Не цвела она и не пускала по ветру крылатые семена.

Осенью листья на ветках пожелтели и ну летать, кружиться. Ветки-соседки заснули. Теперь они сами стали чёрными, голыми. Сухая ветка ничем от них не отличалась. Даже дятел как ни в чём не бывало сел на неё и спросил:

— Чего не спишь? Давай спи, набирайся
сил до весны! — И тут он узнал её. — Какой же я рассеянный! Хворостине о вес-
не говорю! Так не бывает, чтобы сухая ветка
снова ожила.

Вспорхнул и улетел, а ветка выпрямилась
и сказала:

— Поживём — увидим.

Пришла зима. Упали снежинки на ветку, укрыли каждый её сучок, каждую почку, заполнили каждую развилку. Стало ветке тепло и тяжело, словно от листьев. Мороз. Иголочки инея выросли на ветке, окутали её со всех сторон. Ветка так и засверкала в лучах морозного солнца.

«Что ж! — подумала она. — Оказывается, не так уж плохо быть сухою веткой».

Потом наступила оттепель. На ветке повисли капли. Они переливались, блестели, падали одна за другой, и ветка всякий раз приподнималась и вздрагивала. Словно живая. И снова снег. И снова мороз. Долгая была зима. Но вот поглядела ветка вверх: небо тёплое, голубое. Поглядела вниз: под деревьями чёрные круги.

Растаял снег. Появились откуда ни возьмись прошлогодние листья и давай носиться по лесу. Видно, решили, что опять их время пришло.

Ветер утих, и они угомонились. Но заметила ветка, что они и без ветра шуршат потихонечку. Это из-под них травинки вылезают.

Травинки вылезали поодиночке, а листва на дереве распустилась вся сразу. Проснулись ветки-соседки и удивились:

— Ишь ты! Хворостина-то за зиму не сломалась. Видать, крепкая.

Услышала это ветка и загрустила:

— Значит, я и вправду хворостина. Значит, ничего у меня не получится. Хоть бы срубил меня человек, бросил бы в костёр...

И она представила себе, как загорится костёр, как вспыхнут на ней языки огня, словно большие красные листья. От этого ей стало тепло и немножко больно.

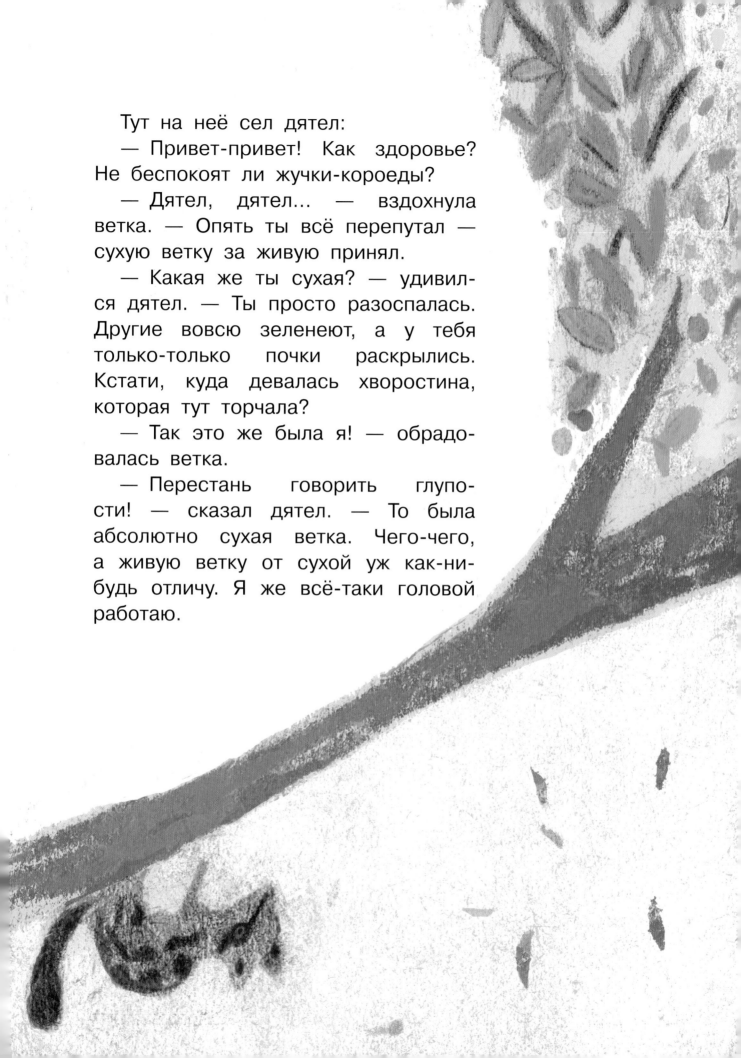

Тут на неё сел дятел:

— Привет-привет! Как здоровье? Не беспокоят ли жучки-короеды?

— Дятел, дятел... — вздохнула ветка. — Опять ты всё перепутал — сухую ветку за живую принял.

— Какая же ты сухая? — удивился дятел. — Ты просто разоспалась. Другие вовсю зеленеют, а у тебя только-только почки раскрылись. Кстати, куда девалась хворостина, которая тут торчала?

— Так это же была я! — обрадовалась ветка.

— Перестань говорить глупости! — сказал дятел. — То была абсолютно сухая ветка. Чего-чего, а живую ветку от сухой уж как-нибудь отличу. Я же всё-таки головой работаю.

МАТЬ-И-МАЧЕХА

Этот яркий жёлтый цветок на светлом мохнатом стебельке появляется весной вместе с подснежниками. Он так торопится, что не успевает выпустить листья. Он даже не знает, какие они.

А цветёт он там, где земля потревожена, изранена, обнажена. Цветёт на откосах. Цветёт на покрытых углём и шлаком насыпях. Цветёт около ям и в самих ямах. Весело желтеет на грудах выброшенной земли.

— Мать-и-мачеха расцвела! Мать-и-мачеха расцвела! — радуются люди.

— Кого они так называют? — удивляется цветок. — Наверное, землю, на которой я расту. Для меня-то она мать, а для других цветов пока ещё мачеха.

Но вот проходит время цветов, и наступает пора больших зелёных листьев. С изнанки они мягкие, светлые, бархатистые: потрёшь о щёку — и станет тепло.

— Это мать, — говорят люди.

Зато снаружи листья твёрдые, скользкие; приложишь к щеке — почувствуешь холод.

— А это мачеха, — объясняют люди. Но листьям мать-и-мачехи всё равно, как их называют. У них слишком много забот. Как крепкие зелёные щиты, спешат они прикрыть, заслонить собой землю, и своей изнанкой, своей тёплой, материнской стороной они прижимаются к земле и шепчут ей:

— Мы с тобой, земля. Ты снова зеленеешь.

МАСТЕР ПТИЦА

Мы ехали из пустыни в город Куня-Ургенч. Кругом лежали пески. Вдруг я увидел впереди не то маяк, не то фабричную трубу.

— Что это? — спросил я шофёра-туркмена.

— Старинная башня в Куня-Ургенче, — ответил шофёр.

Я, конечно, обрадовался. Значит, скоро мы выберемся из горячих песков, очутимся в тени деревьев, услышим, как журчит вода в арыках*.

Не тут-то было! Ехали мы, ехали, но башня не только не приближалась, а, наоборот, как будто отодвигалась всё дальше и дальше в пески. Уж очень она высокая. И шофёр рассказал мне такую историю.

———

* Ары́к — оросительный канал, канава в Средней и Центральной Азии, а также в Закавказье.

В далёкие времена Куня-Ургенч был столицей Хорезма, богатой, цветущей страны. Со всех сторон Хорезм окружали пески. Из песков налетали на страну кочевники, грабили её, и не было никакой возможности уследить, когда и откуда они появятся.

И вот один мастер предложил хорезмскому царю построить высокую башню. Такую высокую, чтобы с неё было видно во все концы. Тогда ни один враг не прокрадётся незамеченным. Царь собрал своих мудрецов и попросил у них совета. Мудрецы подумали и решили так:

«Если с башни будет видно во все концы, значит, и сама башня будет видна отовсюду. И врагам станет легче до нас добраться. Башня укажет им путь. Поэтому совершенно ясно, что мастер — государственный изменник. Ему нужно отрубить голову, а строительство башни воспретить».

Царь не послушался мудрецов. Он приказал построить башню.

И тут случилось неожиданное: башню ещё не достроили, а вражеские набеги кончились. В чём же дело?

Оказывается, мудрецы рассудили правильно: башня была видна отовсюду. Но враги, увидев её, думали, что до Хорезма совсем близко. Они бросали в песках медлительных верблюдов, которые везли воду и пищу, на быстрых конях мчались к манящей башне и все до одного погибали в пустыне от жажды и голода.

Наконец один хан, предводитель кочевников, погубив лучшее своё войско, разгадал секрет хорезмийцев. Он решил отомстить.

Не зажигая ночных костров, прячась днём во впадинах между песчаными грядами, хан незаметно привёл свою орду к самому подножию башни.

Старый мастер ещё работал на её вершине, укладывая кирпич за кирпичом.

— Слезай, пёс! — крикнул ему разгневанный хан. — Я отрублю твою пустую голову!

— Моя голова не пуста, она полна знаний, — спокойно ответил мастер. — Пришли-ка мне сюда наверх побольше бумаги, клея и тростника. Я сделаю из тростника перья, склею из бумаги длинный свиток и запишу на нём всё, что знаю. Тогда моя голова в самом деле станет пустой и ты, отрубив её, ничего не потеряешь: у тебя останутся мои знания.

Хан согласился. Мастер спустил с вершины башни верёвку, к ней привязали пакет с бумагой, клеем и тростником. Старый мастер склеил из бумаги и тростника большие крылья и улетел.

Тогда хан сказал своему летописцу:

— Запиши в историю всё, что произошло, чтобы наши внуки знали, на какой мерзкий обман, на какую низкую ложь, на какое гнусное вероломство способны эти хорезмийцы.

А летописец ответил:

— Конечно, мастер обманул тебя. Он сделал не свиток, а крылья и полетел на них. Но это уже не просто обман, а высокий разум. И наши внуки будут восхищаться человеком, который научился летать.

— Ничего не записывай в историю! — разозлился хан. — Пусть никто не знает, как нас одурачили.

Прошли века. Люди забыли, как звали грозного хана, как звали царя и его

трусливых мудрецов. Но каждому мальчишке в Куня-Ургенче известно, кто был мастер и что он совершил, словно это случилось совсем недавно.

Звали его Уста Куш, что в переводе значит Мастер Птица.

АИСТ
и соловей

Было время, когда птицы не умели петь. И вдруг они узнали, что в одной далёкой стране живёт старый, мудрый человек, который учит музыке. Тогда птицы послали к нему аиста и соловья.

Аист очень торопился. Ему не терпелось стать первым в мире музыкантом.

Он так спешил, что вбежал к мудрецу и даже в дверь не постучался, не поздоровался со стариком, а изо всех сил крикнул ему прямо в ухо:

— Эй, старикан! Ну-ка, научи меня музыке!

Но мудрец решил сначала поучить его вежливости. Он вывел аиста за порог, постучал в дверь и сказал:

— Надо делать вот так.

— Всё ясно! — обрадовался аист. — Это и есть музыка? — и улетел, чтобы удивить мир своим искусством.

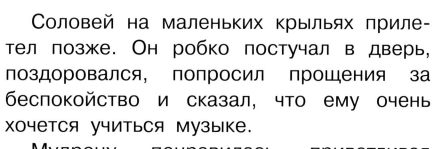

Соловей на маленьких крыльях прилетел позже. Он робко постучал в дверь, поздоровался, попросил прощения за беспокойство и сказал, что ему очень хочется учиться музыке.

Мудрецу понравилась приветливая птица. И он обучил соловья всему, что знал сам. С тех пор скромный соловей стал лучшим в мире певцом.

А чудак аист умеет только стучать клювом. Да ещё хвалится и учит других птиц:

— Эй, слышите? Надо делать вот так, вот так! Это и есть настоящая музыка! Если не верите, спросите старого мудреца.

ЧТО ЛЮДИ СКАЖУТ

Туркменская легенда

В старые времена жили-были крестьянский сын Ашир и дочь хана Алтын. И полюбили они друг друга.

— Пойдём, Алтын, со мной, — говорит Ашир. — Будем детей растить, горе и радость делить.

— Пойдём-ка лучше со мной, — отвечает Алтын. — Будем жить без горя и забот.

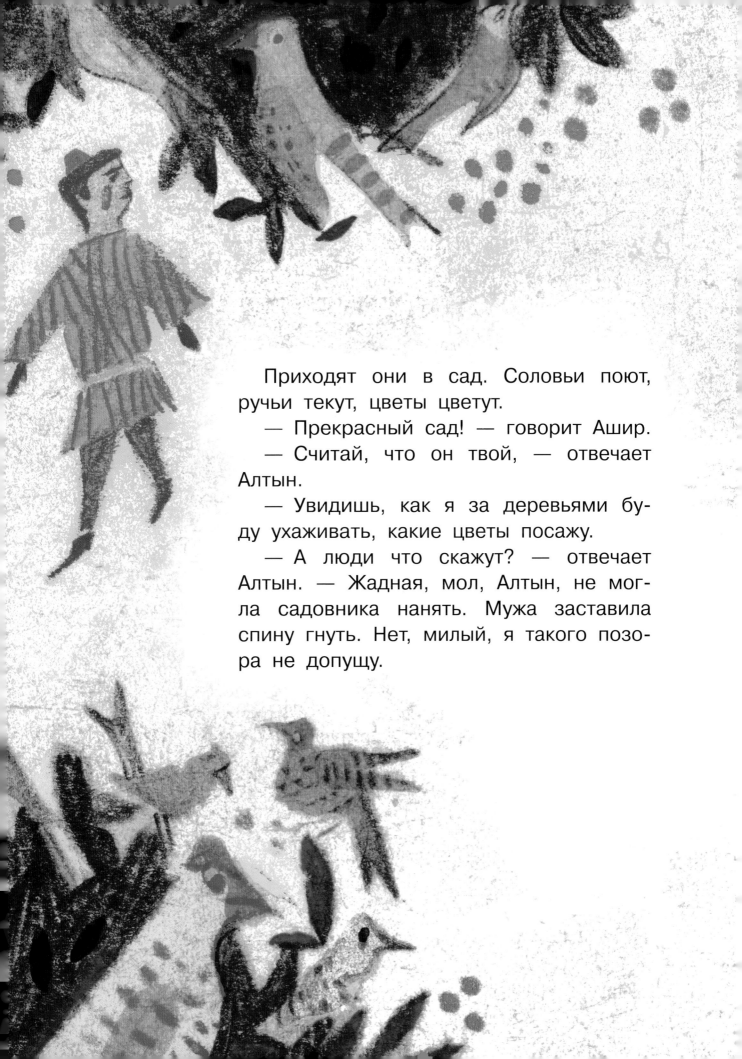

Приходят они в сад. Соловьи поют, ручьи текут, цветы цветут.

— Прекрасный сад! — говорит Ашир.

— Считай, что он твой, — отвечает Алтын.

— Увидишь, как я за деревьями буду ухаживать, какие цветы посажу.

— А люди что скажут? — отвечает Алтын. — Жадная, мол, Алтын, не могла садовника нанять. Мужа заставила спину гнуть. Нет, милый, я такого позора не допущу.

Идут дальше. Видят стадо овец. Стелется оно, как туча, и овцы в нём тучные, жирные.

— Богатое стадо! — говорит Ашир.

— Считай, что оно твоё, — отвечает Алтын.

— Люблю стада пасти, — говорит Ашир. — Вот увидишь, ни одна овечка не пропадёт.

— А люди что скажут? — отвечает Алтын. — Не могла, мол, пастуха нанять.

Идут дальше, видят конюшню, а в ней кони, один лучше другого.

— Отменные кони! — говорит Ашир.

— Считай, что они твои! — отвечает Алтын.

— Люблю за конями ходить, — говорит Ашир. — Вот увидишь, как я буду их холить, как я им гривы да хвосты буду расчёсывать.

— А люди что скажут? — отвечает Алтын. — Не могла, мол, конюха нанять.

Нахмурился Ашир.

— Скучно мне будет жить, ничего не делая.

— А мы, — отвечает Алтын, — гостей позовём, чтоб не скучал.

— Это хорошо, — говорит Ашир. — Я для них плов сварю: пальчики оближешь, язык проглотишь.

— А люди что скажут? — отвечает Алтын. — Не могла, мол, повара нанять.

— Ну, — говорит Ашир, — тогда я им песни буду петь, я много песен знаю.

— Не беспокойся, — отвечает Алтын, — мы певцов позовём.

— А я, — говорит Ашир, — сказки буду рассказывать.

— Спасибо, что напомнил, — отвечает Алтын. — Надо будет и сказочников пригласить.

— Пропаду я от такой жизни, — говорит Ашир. — Убегу я от тебя куда глаза глядят.

— А люди что скажут? — отвечает Алтын. — Плохая, мол, Алтын. Жених от неё сбежал. Нет, милый, и я убегу вместе с тобой!

И ушли они детей растить, радость и горе делить. А люди что сказали? А люди до сих пор про них эту сказку рассказывают.

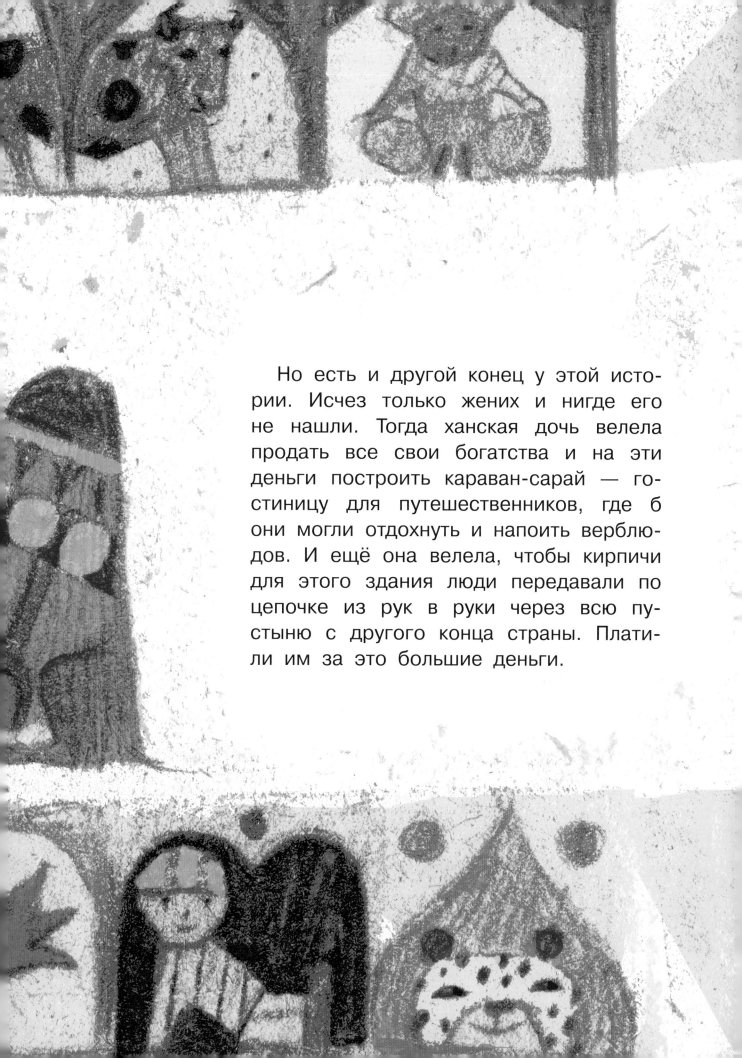

Но есть и другой конец у этой истории. Исчез только жених и нигде его не нашли. Тогда ханская дочь велела продать все свои богатства и на эти деньги построить караван-сарай — гостиницу для путешественников, где б они могли отдохнуть и напоить верблюдов. И ещё она велела, чтобы кирпичи для этого здания люди передавали по цепочке из рук в руки через всю пустыню с другого конца страны. Платили им за это большие деньги.

Говорят, что любящая женщина прошла вдоль этой цепочки из конца в конец, заглядывая в лицо каждому, кто передавал кирпичи из рук в руки. Среди бедняков, бродяг и нищих, вставших в цепочку, она и в самом деле нашла своего любимого и куда-то ушла вместе ним. А похожее на крепость здание караван-сарая до сих пор высится над пустыней.

Содержание

УДК 821.161.1-32-053.2
ББК 84(2Рос=Рус)6-44
Б48

Серия «Мировая классика для детей»
Литературно-художественное издание
Для младшего школьного возраста

Валентин Дмитриевич Берестов

ЧЕСТНОЕ ГУСЕНИЧНОЕ. СКАЗКИ

Художник Е. Шумкова

Дизайн обложки *Н. Сушковой*
Редактор *А. Никитина*. Художественный редактор *Н. Федорова*
Технический редактор *Е. Кудиярова*. Корректор *Е. Холявченко*
Компьютерная верстка *Н. Сидорской*

Общероссийский классификатор продукции: ОК-005-93, том 2; 953000 — книги, брошюры

Подписано в печать 28.10.2015. Формат 60×84/8. Бумага мелованная.
Усл. печ. л. 13,06. Тираж 2000 экз. Заказ № ВЗК-05334-15.

ООО «Издательство АСТ»

129085, г. Москва, Звёздный бульвар, д. 21, стр. 3, ком. 5

Наш электронный адрес: malysh@ast.ru. Home page: www.ast.ru

«Баспа Аста» деген ООО

129085, г. Мәскеу, жұлдызды гүлзар, д. 21, 3 құрылым, 5 бөлме
Біздің электрондық мекенжайымыз: www.ast.ru. E-mail: malysh@ast.ru

Қазақстан Республикасында дистрибьютор және өнім бойынша арыз-талаптарды қабылдаушының өкілі «РДЦ-Алматы»
ЖШС, Алматы қ., Домбровский көш., 3«а», литер Б, офис 1.
Тел.: 8 (727)251-59-89, 90, 91, 92, факс: 8 (727)251-58-12 вн. 107; E-mail: RDC-Almaty@eksmo.kz
Өнімнің жарамдылық мерзімі шектелмеген

Өндірген мемлекет: Ресей
Сертификация қарастырылған

Отпечатано в АО «Первая Образцовая типография», филиал «Дом печати – ВЯТКА»
в полном соответствии с качеством предоставленных материалов. 610033, г. Киров, ул. Московская, 122.

Берестов, Валентин Дмитриевич.
Б48   Честное гусеничное. Сказки / В. Берестов; худож. Е. Шумкова. — Москва : Издательство АСТ, 2016. — 105, [7] с.: ил. — (Мировая классика для детей).
ISBN 978-5-17-090973-5.

Валентин Дмитриевич Берестов (1928—1998 гг.) — писатель и поэт, переводчик, классик детской литературы, писавший, однако, и для взрослых, — по профессии был археологом. Вероятно, поэтому он «исследует» литературу, поднимая «разные пласты» — то есть работает в разных жанрах и разных направлениях. Произведения В. Берестова изучают дошкольники и младшие школьники, они входят в программу по обязательному и внеклассному чтению в детском саду. «Честное гусеничное. Сказки» — книга, которая поможет детям познакомиться с наиболее известными, программными произведениями автора.

Для младшего школьного возраста.

УДК 821.161.1-32-053.2
ББК 84(2Рос=Рус)6-44

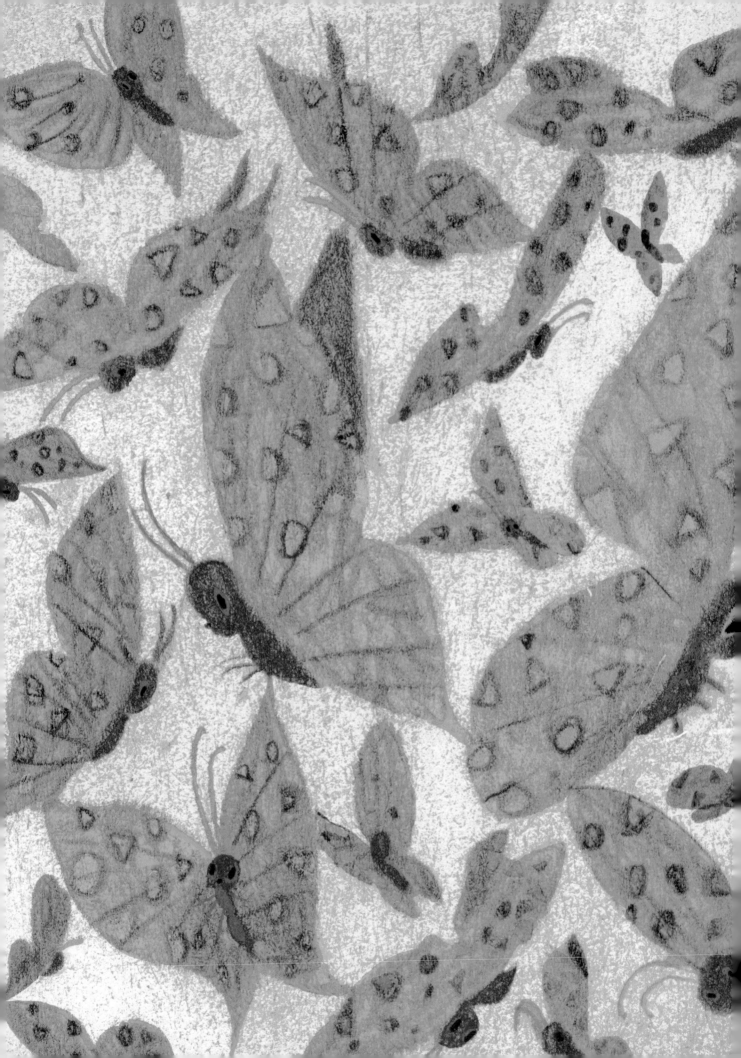